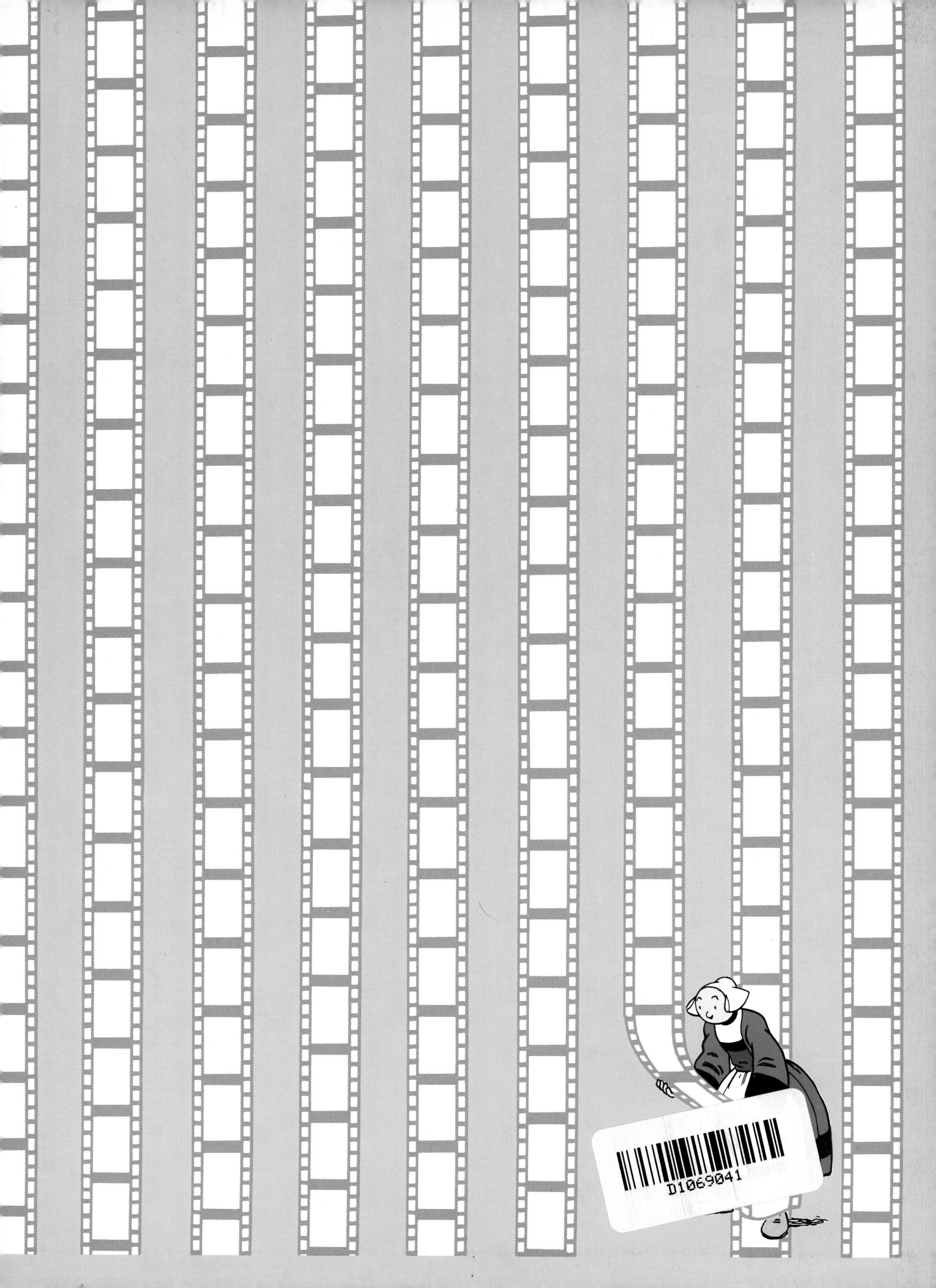
D1069041

BECASSINE
AU STUDIO

Texte de CAUMERY
Illustrations de J. P. PINCHON

Gautier-Languereau

ISBN 2.01.019584.1

BÉCASSINE AU STUDIO

Laissons, si vous le voulez bien, Bécassine à ses effusions et penchons-nous sur son journal.

« J'avais abandonné ce cahier faute de choses intéressantes à raconter : je vais pouvoir me rattraper aujourd'hui. Quel plaisir que de retrouver Loulotte, mon ancienne petite nourrissonne, et quelle surprise d'apprendre qu'elle est devenue vedette de cinéma!

J'avais souvent vu des affiches dans les rues portant le nom de Loïse Armor, mais ce nom ne me disait rien et le portrait non plus. Jamais ma Loulotte n'a eu des cheveux à moitié verts et des dents à moitié bleues. Les artistes qui font les affiches ont de drôles d'idées!

Quant au nom, je ne pouvais pas le reconnaître davantage, vu que c'est une invention de Loulotte qui a voulu s'appeler comme ça pour « rendre hommage à sa Bretagne natale », comme elle dit. On appelle ça un speudonyme ou un pneudonyme. Je ne sais plus.

Je ne me tenais plus de joie d'écouter ma petite raconter toutes ses histoires, mais ce n'était rien encore! Voilà-t-il pas qu'elle me propose tout à coup de m'emmener à Paris pour lui servir d'habilleuse?

Une habilleuse, c'est une personne chargée des costumes de la vedette qui l'a engagée...

...Et, en dehors de ça, d'un tas d'autres choses : faire les courses...

... Apporter, lorsqu'on tourne tôt le matin, le petit déjeuner dans la loge du studio...

... recevoir les visiteurs...

...et surtout les empêcher d'entrer, bref, c'est une situation dans laquelle il faut être débrouillarde. C'est-à-dire que ça m'ira comme un gant.

Voilà que je vais veiller sur Loulotte comme autrefois quand je lui faisais faire ses premiers pas!...
...Mais il faut que j'arrête mon bavardage, car c'est demain matin le départ et je devrai me lever quand le coq chantera. Je vais donc bien vite me coucher en me souhaitant une bonne nuit.»
Pendant que la brave Bécassine, le cœur en joie, rédigeait son journal, dans une maison voisine, une demoiselle à l'aspect revêche tournait autour de sa chambre avec colère.
Cette demoiselle n'était autre que Marie Quillouch, la cousine de Bécassine, qui, depuis toujours, jalousait celle-ci, ne lui pardonnant pas une popularité que l'excellente fille ne devait pourtant qu'à sa seule gentillesse.
« Et la voilà qui va faire du cinéma, à présent!» grommelait la déplaisante créature d'un ton rageur. Les nouvelles quelque peu déformées lui avaient en effet laissé croire...
... que sa cousine allait débuter dans la carrière d'actrice.
Tout à coup, elle se mit à sourire, ce qui la rendit encore plus vilaine...
...et calmée, semblait-il, elle gagna tranquillement son lit.

Le lendemain, dès l'aube, Bécassine s'éveilla. Elle demeura d'abord un instant immobile, les yeux grands ouverts, repassant dans sa tête les heureux événements de la veille. Puis elle se mit à se tourner et à se retourner en tout sens et d'un coup de genou vigoureux souleva son drap qu'elle repoussa en chiffon au pied de son lit.
Quelques minutes plus tard, le traversin tomba sur le sol avec un bruit mou, suivi par le volumineux oreiller de plumes, qui s'affaissa à son tour sur le carrelage.
Enfin, Bécassine, furibonde, s'assit sur sa couche dévastée.
« Alors? Se décidera-t-il à chanter, ce coq? proféra-t-elle. Si ça continue, je vais être fameusement en retard! »
Au bout d'une nouvelle minute d'attente, n'y tenant plus, elle se leva et commença à descendre prestement l'escalier qui conduisait à la cour...
...mais, butant dans sa longue chemise de nuit, elle arriva en bas un peu plus rapidement qu'elle ne l'avait prévu.
Elle se remit d'un bond sur ses jambes et se dirigea vers le poulailler où trônait un superbe coq profondément endormi.
« Tiens, fainéant! » dit Bécassine en lui tirant la queue.
Aussitôt l'animal, éveillé en sursaut, poussa un majestueux cocorico.
« Enfin! Pas trop tôt! Je vais pouvoir me préparer, mais il aura mis le temps à se faire entendre pour une fois que j'avais besoin de lui », murmura Bécassine en montant quatre à quatre dans sa chambre pour faire ses valises.

Les bagages furent préparés en quelques minutes. Oh! peut-être pas avec une minutie et un soin extrême, ainsi que vous pourrez en juger par le dessin ci-dessus, mais il ne faut pas être trop sévère à l'égard d'une personne qui est à un quart d'heure d'un grand tournant de son existence.

Parée de son plus beau costume, Bécassine descendit dans la salle rejoindre ses parents pour leur faire ses adieux. A peine y était-elle arrivée que la petite fille d'un de leurs voisins fit irruption, l'air affolé. « Venez!, venez! Vot'vaque s'a échappée et elle court présentement dans les rues du village... Faut vite la rattraper! »

Bécassine aussitôt s'élança vers la porte, mais sa mère la retint par le bras : « Voyons, ma fille, tu as rendez-vous dans dix minutes à la gare... ton père s'occupera de ramener la Blanchette tout seul. »

Bécassine hésita une seconde, mais une fois de plus son bon coeur lui dicta sa conduite : « Non, j'y vais; je ne veux point vous laisser dans l'embarras! »

Et elle gagna la rue, suivie de son père et de l'obligeante petite fille.
« Voyons, Anne-Marie, par où est-elle partie, la Blanchette?
— Par là, suivez-moi vite! »
Et la jeune Anne-Marie, désignant un chemin qui menait dans la campagne, détala à toutes jambes...

...suivie à la même allure par Bécassine et son père.
« Quoi c'est qui leur prend? » se demandèrent plusieurs commères abasourdies en assistant à cette course éperdue, mais leur question demeura sans réponse.

Tandis que Bécassine et son escorte galopaient de la sorte, un volet s'entr'ouvrit discrètement dans la façade de la maison des Quillouch et le nez pointu de Marie fit son apparition. Puis le volet se referma aussi discrètement qu'il s'était ouvert.

Pendant que se déroulaient ces événements, Loulotte et sa gouvernante, la digne Mme Veillatou, faisaient les cent pas devant la gare sous les regards curieux d'un groupe de gamins du pays. « C'est incroyable! disait la jeune vedette avec nervosité, il est plus de neuf heures et Bécassine n'est toujours pas là! Je crois que nous ferions bien de... »
Loulotte n'eut pas le loisir d'achever sa phrase. Une main se posant sur son bras venait de la faire retourner brusquement. Elle eut la surprise de se trouver face à face avec une inconnue qui n'était autre que Marie Quillouch, mais une Marie Quillouch métamorphosée, vêtue d'une robe décolletée à ramages, coiffée d'un chapeau à plumes et le visage enduit d'une épaisse couche de maquillage.
Et quel maquillage! Une joue plus rouge que l'autre, des lèvres dessinées de travers, des paupières barbouillées au charbon, des cils raidis de rimmel. Loulotte avait l'impression de contempler un portrait dans une galerie d'avant-garde.
Le portrait prit la parole avec assurance : « Mademoiselle Loïse Armor, n'est-ce pas? Ma cousine Bécassine me charge de vous dire qu'elle a changé d'avis depuis hier et qu'elle ne partira pas avec vous. Aussi, pour ne pas vous laisser dans l'embarras, elle m'envoie pour la remplacer.
« Vous n'y perdrez rien sous le rapport de la présentation. Tenez, regardez! » Marie se mit à faire quelques pas en se dandinant prétentieusement, croyant ressembler ainsi à une grande star de l'écran. Elle se retourna, triomphante. « Vous voyez que pour la grâce de la démarche, je ne crains personne. »
Mais au même instant, elle poussa un cri en se tordant la cheville : le haut talon de sa chaussure venait de s'introduire dans la grille d'une bouche d'égout et elle ne pouvait l'en retirer. « Déchaussez-vous, mademoiselle, conseilla Mme Veillatou : nous essaierons ensuite de dégager votre soulier. »
Rouge de confusion, Marie alla à cloche-pied s'asseoir sur le perron de la gare. Les gamins qui avaient assisté avec joie à la scène offrirent à leur tour leurs services. Enfin, un des galopins poussa un cri de victoire en brandissant la fameuse chaussure..
Malheureusement, celle-ci était privée de son talon qui gisait définitivement dans l'égout et quand Marie y eut enfilé son pied, elle se mit à boiter plus comiquement que les canards de sa ferme.

« Allez partons, dit Marie, refoulant sa rage. — Mais, mademoiselle, répliqua Loulotte énervée, je ne partirai pas d'ici sans avoir revu Bécassine. » A ces mots, Marie jeta à la jeune fille un regard inquiet. « Non, inutile d'aller la voir, je vous assure...
...elle ne veut point aller à Paris et ... et ses parents lui défendent de faire du cinéma. — Mais qui parle de faire faire du cinéma à Bécassine? demanda Loulotte interloquée. C'est à titre d'habilleuse qu'elle est engagée, et je...Ah! par exemple, la voici!" En effet, Bécassine arrivait vers le petit groupe en courant à toutes jambes.
« Excusez pour l'attente, criait-elle haletante, voilà une demi-heure que je cours après notre vache... Je l'ai rattrapée sur la voie de chemin de fer.
« Il était temps, elle allait entrer dans le tunnel. Tiens, tu es là, Marie? C'est gentil d'être venue me dire au revoir, mais il ne fallait pas faire tant de toilette pour ça. » Rageuse, Marie, voyant la partie perdue, tenta de s'esquiver, mais son étrange démarche attira l'attention de Bécassine qui s'apitoya : « Qu'est-ce qui t'est arrivé, cousine? Tu boites? Et ta figure qui est de toutes les couleurs!
« Mon Dieu, tu es sûrement malade. » sans répondre ni se retourner, Marie gagna aussi rapidement que possible la première rue transversale où elle disparut. Bécassine paraissait toute chagrine de cette fuite inexplicable et de l'attitude hargneuse de sa cousine.
« Allons, mademoiselle Bécassine, dit Mme Veillatou, ne vous tourmentez pas pour cette personne qui a tenté de vous supplanter. — Qu'est-ce qu'elle à su planter? — Je vous expliquerai cela en route. Partons, nous sommes déjà en retard.»
Loulotte fit monter son ex-nourrice dans la voiture qui démarra aussitôt. Bécassine , à genoux sur la banquette arrière, déploya son mouchoir et l'agita en signe d'adieu au milieu des vivats des Cloches-Bécassiens assemblés". "Bonne chance, à bientôt!" criaient petits et grands en regardant s'éloigner l'auto qui emportait notre héroïne vers son nouveau destin. Et Loulotte remarqua en souriant que dans ce charmant village son titre de vedette lui était ravi par Bécassine.

Installées devant la baie de la salle à manger, grande ouverte sur les frondaisons du Champ-de-Mars, Bécassine et Loulotte achevaient leur petit déjeuner. Bécassine, intarissable, évoquait maints épisodes de la petite enfance de son ex-nourrissonne. Tour à tour, amusée ou attendrie...

...Loulotte l'écoutait en buvant sa tasse de thé au citron. Elle se revoyait trottinant auprès de sa bonne nourrice dans les allées des Tuileries ou sagement assise auprès de Mme de Grand-Air, sa bienfaitrice, au cours d'une de ces promenades en voiture qu'elle aimait tant. Absorbée par ces rappels du passé, elle s'attardait plus que de raison à son déjeuner matinal.

Un coup d'œil sur la pendule la ramena à la réalité. « Dix heures! Sais-tu que tu me fais oublier mes rendez-vous? J'ai mille choses à faire pourtant!»

Légère, la jeune vedette s'enfuit tandis que le visage de Bécassine s'assombrissait brusquement.

Arrivée depuis la veille chez Loulotte, elle se sentait dépaysée dans sa nouvelle résidence et ne savait de quelle façon se rendre utile.

Mme Veillatou fit fort à propos son entrée dans la pièce. « Bonjour, Bécassine, je vous cherchais! Pouvez-vous aller me faire une course? » D'un bond, l'interpellée fut debout. « Oh! oui, madame, tout ce que je demande, c'est de rendre service! »

Mme Veillatou parut touchée par la gentillesse de l'exclamation. Tendant deux billets de banque, elle expliqua : « Voici cent cinquante francs...

...J'ai dix lettres à expédier et il me faut dix timbres. Vous en trouverez au bureau de tabac de l'avenue de la Motte-Picquet. — Entendu, madame, entendu!» criait Bécassine en s'éloignant dans un grand bruit de portes ouvertes et refermées.

En attendant le retour de sa commissionnaire, Mme Veillatou s'en fut donner des instructions à Doudou, la cuisinière martiniquaise.

Bécassine, qui voyait celle-ci pour la première fois, demeura bouche bée devant le costume aux éclatantes couleurs qu'elle portait.

Mais, Doudou, prenant fort mal cette attitude, crut que la nouvelle venue se moquait d'elle. A son tour, elle considéra le costume de Bécassine et dit d'un air méprisant, avec l'accent de l'île Bourbon : « Regardez-moi cette robe ridicule! — Quoi donc? ridicule? Elle insulte la Bretagne! je vais...

— Allons! Allons! du calme! intervint Mme Veillatou, chacune de vous porte le costume de son pays et ils sont tous deux fort jolis. il n'y a pas là matière à dispute, n'est-il pas vrai?» Mais les protagonistes, sans répondre, s'observaient en boudant.

« Voulez-vous bien faire la paix? que la plus raisonnable tende la main la première! »

Simultanément,Bécassine et Doudou tendirent une large main conciliante et un bon sourire illumina leurs deux visages.

«J'aime mieux ça, dit Mme Veillatou, en entraînant Bécassine dans son bureau. Voulez-vous me donner les timbres?... Mais vous m'en apportez trois au lieu de dix.

— Oui, mais cela revient au même, ils valent cinquante francs.» La sonnerie du téléphone interrompit cette conversation. Mme Veillatou décrocha et, après quelques réponses, reposa l'appareil.

«Un rendez-vous urgent m'oblige à sortir. Quel dommage...moi qui ait tant de travail! — Je peux-t-y encore vous aider? questionna Bécassine. — Non! Non! fit Mme Veillatou avec effroi. Allez plutôt aider Doudou pour sceller votre entente avec elle.

La Martiniquaise était occupée à plumer un poulet quand Bécassine fit son entrée dans la cuisine. «Bonjour, madame Doudou, est-ce que je peux vous être utile? — Vous êtes beaucoup gentille, mam'selle Bécassine. Si vous voulez plumer l'autre poulet pendant que je termine celui-ci?»
Bécassine se mit à la besogne avec ardeur, « Jetez bien les plumes dans la corbeille, mam' selle Bécassine, pour pas qu'elles s'envolent, parce que, moi, le gâchis, je peux pas le supporter. — Craignez rien : propreté et méthode, voilà ma devise.»
Doudou se mit à chanter d'une voix douce. « Que c'est joli! dit Bécassine. — C'est un air de mon pays, ma maman me l'a appris quand j'étais petite.
— Oh! dites, madame Doudou, parlez-moi un peu de vous! Vous devez en avoir de belles histoires à raconter.» Flattée d'être l'objet d'un tel intérêt, Doudou ne se fit pas prier.
« Je vais vous raconter le drame de ma famille. Mon papa était chef dans une plantation de cannes à sucre. Ça faisait de la jalousie.
« Un beau jour, un jaloux a lâché un serpent derrière mon papa et comme le serpent n'avait pas de sonnette, on l'entendait pas venir... — Mon Dieu! le misérable avait décroché la sonnette! — Non, c'était un serpent qui n'a pas de sonnette de son naturel.
« Mon papa l'a enfin aperçu dans un tournant et il s'est mis à courir, à courir très vite comme chaque fois qu'il y avait du danger.
« Et vous savez pas ce qui est arrivé? Mon papa s'en est tellement couru vite qu'il a pas vu une souche de palétuvier et qu'il est tombé sur un rocher et s'est cassé la tête sur le dehors et fêlé dans le dedans...
« ... Depuis ce jour-là, ça n'a plus été le même homme, mon pauvre papa. Il avait perdu un gros pourcentage d'intelligence et il a dû travailler à la plantation sous les ordres du traître qui avait pris sa place.

— C'est une honte! s'exclama Bécassine. — Mais il a bien été vengé, mon pauv' papa, parce que le traître il a été tué par le serpent qu'il avait dressé et dont il pouvait plus se débarrasser.

— Bravo! dit Bécassine qui aimait la justice. Là, j'ai terminé mon travail, annonça-t-elle; je n'ai plus qu'à jeter la dernière touffe de plumes.

— Merci beaucoup, fit Doudou ravie. Heureusement que vous êtes venue, vous m'avez bien avancée. Maintenant, dit-elle en se levant, il faut que je prépare la crème au chocolat.»

Bécassine se rengorgeait en s'épongeant le front. Elle avait plumé son poulet avec une telle frénésie qu'elle en était toute congestionnée. « Mon Dieu! que j'ai chaud! soupira-t-elle.

A ce moment, elle avisa un ventilateur qui se trouvait au-dessus de sa tête. Est-ce qu'il fonctionne? questionna-t-elle. — Ici tout fonctionne », répliqua Doudou avec hauteur. Bécassine appuya sur l'interrupteur et ...

... quelle catastrophe! Sous l'action du vent, les plumes entassées dans la corbeille s'en échappèrent en un violent tourbillon, allant se coller dans les sauces et nager sur les crèmes, pénétrant dans les bouches ouvertes de Bécassine et de Doudou qui poussaient des hurlements de désespoir.

Quand enfin les plumes furent toutes retombées après l'arrêt du ventilateur, la cuisine évoquait assez un paysage de Noël. La malheureuse Doudou en pleurait dans son tablier. « Attendez, je vais vous aider à arranger tout ça, dit timidement Bécassine.

— Partez! Partez bien vite! Il y a assez de malheur pour aujourd'hui!» répliqua la cuisinière qui oubliait dans sa fureur les éloges décernés plus tôt à son aide bénévole.

« Chers parents, écrivait Bécassine, me voici bien arrivée à Paris après un bon voyage dans l'auto de Loulotte. Avec nous, il y avait Mme Veillatou qui est secrétaire, gouvernante et coetera. Elle prévoit tout et rien ne lui échappe. Elle remplace une pendule, un calendrier, un compteur et une boussole. C'est elle qui a dirigé tout le voyage... Elle était assise à côté de Loulotte, une carte sur les genoux et elle disait d'un ton de gendarme : « Ralentissez, voici un passage à niveau...
...ou « Attention au tournant après l'usine! » et un tas de choses du même genre. Je me demande comment elle pouvait voir tout ça sur une carte, mais elle ne se trompait jamais. A part elle, il y a dans la maison une cuisinière martiniquaise nommée Doudou. J'ai d'abord été mal avec elle, puis ensuite très bien...
...et maintenant je suis de nouveau mal à cause d'une bêtise que j'ai faite.» On heurta à la porte de la chambre. Bécassine ouvrit et se trouva face à face avec une Doudou contrite qui murmurait humblement :
« Pardonnez-moi... j'étais dans une grande colère ce matin, en voyant la catastrophe dans ma cuisine. Il m'a fallu trois quarts d'heure pour déplumer la crème au chocolat...
...et la mayonnaise, mais je regrette quand même de vous avoir mise à la porte parce que vous êtes bien gentille. — Puisque vous ne m'en voulez pas, moi non plus... oublions tout ça, dit Bécassine, heureuse de voir se terminer cette brouille.
— Bravo! Regardez! Je vous ai apporté une griffe de vautour. — Merci beaucoup, fit Bécassine poliment. — Avec ça, vous n'aurez plus d'ennuis et vous serez préservée du mauvais sort. Quand je suis venue en France, il y avait grande tempête pendant la traversée, mais j'avais pas peur, parce que j'avais amulette...
— Avec la tempête, les allumettes ça pouvait s'éteindre, objecta Bécassine. — J'ai pas dit «allumettes», j'ai dit «amulette» porte-bonheur, quoi! Allons, à demain, mam'sell Bécassine. Accrochez la griffe de vautour sur vous.

Enchantée, Bécassine obéit et, retournant à sa table, poursuivit sa lettre : «Maintenant, je peux vous annoncer que je suis de nouveau bien avec Doudou. Elle vient de me rendre visite et m'a donné une amullumette en griffe de vautour qui me préservera des ennuis et du mauvais sort. Ce n'est pas trop tôt! Il paraît que c'est aussi...

...très bon contre les tempêtes en mer. — Si je peux en avoir une autre, je l'enverrai à l'oncle Corentin.» Un bruit singulier attira soudain l'attention de Bécassine. Elle prêta l'oreille : une sorte de glouglou régulier venait de la salle de bain. Inquiète, elle s'y rendit et...

... le spectacle qui s'offrait à sa vue la consterna. La baignoire avait débordé et le carrelage disparaissait sous une mare d'eau clapotante. Au milieu de cette mare, une paire de mules appartenant à Mme Veillatou gisait comme une épave. Un robinet mal fermé était cause de ce désastre et Bécassine dut s'avouer qu'elle était l'auteur de cette nouvelle sottise.

Elle retourna à sa lettre. «Je dois vous dire que l'allumulette en question protège contre les tempêtes en mer, mais pas dans les baignoires. Je vous expliquerai ça tout à l'heure...

... pour l'instant, il faut que j'aille éponger de l'eau qui est où elle ne devrait pas être... Attendez-moi, je reviens de suite.»

Pendant que Bécassine se livrait à son travail, Bichon, le chat de la maison, s'éveilla. Il bâilla, s'étira et sauta sur la table, il balaya les lignes fraîchement écrites...

...et commença à faire sa toilette. L'apercevant soudain, Bécassine poussa un rugissement en accourant vers lui.

«Veux-tu te sauver, bête de l'enfer!» Pris de peur, l'animal s'enfuit, renversant l'encrier au passage. Une large flaque noire s'étala sur la page que Bécassine voulait préserver. Sur la page suivante...

...elle écrivit ces simples lignes : «Mes chers parents, il vaut mieux que je m'arrête là pour aujourd'hui. L'allumulette doit être détraquée. Je vous embrasse comme je vous aime. Votre fille affectionnée : Bécassine.»

Loulotte et Bécassine roulaient vers le studio de Boulancourt où devaient avoir lieu les prises de vues de «Cœurs intrépides», le nouveau film de la vedette.

Elles étaient toutes deux silencieuses.

Loulotte éprouvait l'émotion d'une artiste qui va créer un nouveau rôle...

...et Bécassine, plus prosaïquement, songeait à la scène que lui avait faite Mme Veillatou en découvrant dans la salle de bain les mules complétement calcinées. Notre pauvre amie les avait...

...mises dans le four de la cuisinière pour les faire sécher, mais le remède avait été pire que le mal, ce qui arrive souvent, surtout quand le remède est une invention de Bécassine.

La voiture ralentit et s'arrêta devant les bâtiments du studio de Boulancourt.

«Nous sommes arrivées», annonça Loulotte en sautant sur le sol.

Bécassine, très intimidée, lui emboîta le pas, le cœur battant. Loulotte se dirigea vers une porte de fer qu'elle poussa.

Derrière cette porte était embusqué un concierge qui veillait farouchement à ce qu'aucun importun ne passe. A la vue de Loulotte, il ôta sa casquette en souriant largement : «Bonjour, mademoiselle Loïse Armor. Allons, couché, Tambour! Tais-toi, Trompette!»

D'un geste impérieux, il imposait silence à deux énormes chiens qui aboyaient furieusement. «N'ayez pas peur, dit-il, à Bécassine, ils ne sont pas méchants! Ils me ressemblent : féroces gardiens, mais cœurs d'or!»

Elles pénétrèrent dans un vaste couloir où régnait une animation en apparence fort désordonnée. Des machinistes en combinaison de travail coltinaient les objets les plus hétéroclites au milieu d'hommes en habit. Une danseuse espagnole devisait avec un pompier, cependant qu'un homme plantait des clous à coups de marteau dans une pancarte où était inscrit : «Silence!»

Loulotte s'engagea dans un second couloir où s'ouvraient plusieurs portes.
«Voici ma loge», annonça la jeune fille. C'était une pièce tenant à la fois du cabinet de toilette et du salon.

«Ma toilette pour la scène d'aujourd'hui, dit Loulotte, montrant une somptueuse robe à paniers. Tu vas me la passer. Allons! habilleuse...

...fais ton métier!» Bécassine obéit. Elle était occupée à agrafer le corsage de Loulotte, lorsque des éclats de voix venant d'une loge voisine lui firent dresser l'oreille. Le nom de Loïse Armor prononcé d'un ton aigre l'alerta. Abandonnant sa tâche,...

...elle alla coller son œil au trou de la serrure. De son poste d'observation, elle distinguait dans la loge située de l'autre côté du couloir une dame vêtue à peu près comme Loulotte...

...qui gesticulait en exposant véhémentement ses griefs à un monsieur assis.
«Me donner un rôle aussi court, à moi, Gloria Soleil, une artiste qu'on s'arrache! Qui a joué devant le Négus et le Shah de Perse!

— Il fallait lire plus attentivement le scénario avant de signer votre contrat, répondit d'une voix placide le monsieur assis.
— Dites plutôt que le premier rôle était réservé à cette pécore de Loïse Armor!

— Par exemple!» fit Bécassine révoltée. Mais Loulotte l'arracha à sa contemplation.
«Veux-tu lâcher ce trou de serrure!... En voilà une habilleuse!
— Je ne suis pas en train pour travailler quand j'entends des horreurs pareilles.

— Ne te tourmente pas ainsi, dit Loulotte en souriant. Les propos de Gloria Soleil n'ont aucune importance. C'est une actrice réputée irascible. Elle a accepté avec enthousiasme le rôle de Marie-Antoinette qui est moins important que le mien : voilà la raison de sa colère!»

On heurta à la porte.
«C'est Barbouillof, fit une voix de basse.
— Ah oui! le maquilleur! Entrez!» répondit Loulotte.
Un personnage à la stature impressionnante apparut. Il s'inclina jusqu'à terre devant Loulotte et sortit d'une valise une quantité de pots et de flacons qu'il disposa sur la coiffeuse.

Puis, d'un air inspiré, il commença son travail. Habilement, il enduisit le visage de la jeune fille d'un fond de teint ocré, puis la poudra et dessina les lèvres d'un pinceau expert. Ensuite, il lissa les sourcils et releva les cils à coups délicats avec une petite brosse enduite de cosmétique noir.

Le maquilleur avait à peine quitté la loge que le coiffeur y pénétrait. Il emprisonna la chevelure de Loulotte sous une perruque blanche qu'il entremêla de fleurs et de perles.

Puis ce fut le tour du bottier qui vint s'assurer que les escarpins qu'il avait fait livrer chaussaient parfaitement la vedette.

Enfin, M. Tourniquet, le metteur en scène, arriva avec solennité pour saluer Loulotte et la prier de venir dans le décor.
Bécassine s'était faite toute petite, effarouchée par l'intrusion de tous ces inconnus. Loulotte lui fit signe de la suivre et quitta sa loge, majestueuse dans sa robe de cour.

Pendant que l'opérateur achevait de régler les éclairages, M. Tourniquet expliquait à Loïse et à Gloria la scène qu'elles allaient interpréter et leur indiquait leurs places respectives dans le décor.

Lorsque tout fut en place, il cria : « Moteur! » L'appareil de prises de vues se mit en marche et aussitôt un machiniste vint se placer devant. Il présenta une ardoise sur laquelle on pouvait lire :
«Cœurs Intrépides - 127 - première fois!» puis l'homme actionna une planchette sous l'ardoise. «Clac!» et se retira prestement.
«Partez!»

A ce commandement, Loïse fit une révérence devant Gloria et annonça, l'air très émue :
«Majesté, le marquis de Corneval est arrêté!
— Que me dites-vous là? répondit Gloria d'un ton théâtral.
— Coupez! trancha le metteur en scène.
Après un conciliabule animé entre techniciens, les artistes furent priés de reprendre leur place.
«Moteur!» commanda de nouveau Tourniquet.
Et l'on recommença la scène. Une fois, deux fois, trois, fois. Dès que Gloria répliquait : «Que me dites-vous là?» le metteur en scène criait :
«Coupez»
A la quatrième reprise, Bécassine n'y tint plus. Faisant irruption dans le décor, elle interpella Gloria :
«Ça fait une demi-heure qu'on vous répète que le marquis de Corneval est arrêté! C'est-y que vous avez des cailloux dans les oreilles?
— Coupez! Coupez! hurla Tourniquet, et vous, sortez!» continua-t-il à l'adresse de Bécassine qui était devenue le point de mire de l'assistance.
Le premier moment de stupeur passé, Gloria réagit violemment. Empoignant un vase, elle le jeta à toute volée à travers le décor. Puis, elle fit mine de se retirer. Tourniquet était affolé. Les journées de studio sont ruineuses, et le moindre arrêt est une catastrophe.
«Restez!» suppliait le metteur en scène.
Entourée, cajolée, Gloria finit par se laisser convaincre.
« Je veux bien rester, condescendit-elle à déclarer, mais à condition que cette habilleuse disparaisse!»
« Allons, va dans la loge », dit Loïse désolée. Sans bien comprendre, Bécassine partit se mettre en pénitence dans la loge où elle se morfondit pendant une heure. Elle ne cessait de songer à l'altercation qui lui avait valu sa disgrâce et se comparait à ces héroïnes de roman qui battent en retraite la tête haute, devant une foule hostile. A vrai dire, elle était plutôt partie la tête basse, mais on ne saurait lui reprocher une pointe de lyrisme.

Enfin, Loïse vint la délivrer en lui annonçant qu'elle pouvait retourner dans le décor pour assister à la réception qui devait avoir lieu à l'occasion du premier tour de manivelle. Les premiers invités étaient arrivés et papotaient par petits groupes. Dans un angle, un buffet était dressé derrière lequel trônait un personnage impeccablement rasé à l'aspect digne et solennel. Bécassine s'en approcha avec un large sourire.

«C'est-y que je peux vous aider, monsieur le directeur du buffet?

— Cela m'étonnerait, répliqua dédaigneusement le maître d'hôtel après l'avoir toisée, mon métier ne s'improvise pas!

— Oh! bien sûr, je ne peux pas servir aussi bien que vous tous ces messieurs et ces belles dames, mais je saurais bien vous rendre service quand même. Par exemple, en coupant le saucisson en rondelles ou en donnant un coup de torchon sur les verres.»

Le maître d'hôtel paraissait de plus en plus dédaigneux. Nul n'aurait pu deviner que la proposition de Bécassine l'emplissait d'aise. Sans laisser voir sa satisfaction, il dit d'un ton protecteur : «Si vous tenez absolument à m'aider, vous pouvez préparer quelques sandwiches. Tenez, voici de la charcuterie et des olives. Dans cette corbeille...

...vous trouverez des œufs durs.» Bécassine se mit aussitôt à l'ouvrage avec son ardeur coutumière. Elle tranchait, beurrait, tartinait et le maître d'hôtel, qui l'observait du coin de l'œil, se félicitait d'avoir embauché une telle auxiliaire.

Les invités, pendant ce temps, continuaient à affluer. Gloria s'éventait nonchalamment en cherchant à se faire admirer, tandis que Loïse, fidèle aux principes de modestie que lui avait enseignés Mme de Grand-Air, accueillait les nouveaux venus avec simplicité et gentillesse.

Bécassine s'arrêta un instant pour mieux l'admirer. «Allons, pas le temps de flâner, dit le maître d'hôtel, de plus en plus négrier. Commencez à casser les œufs durs!»

Bécassine empoigna la corbeille qui les contenait. «Ma Doué, pensa-t-elle, il y en a au moins dix douzaines! Ça ne va plus en finir!» Elle eut une idée excellente. Pour activer le travail, elle grimpa sur une chaise...

... et retourna la corbeille. Horreur! Tous les œufs s'écrasèrent devant Bécassine sidérée.

«Que se passe-t-il?» vociféra le maître d'hôtel. Devant ce lamentable spectacle, il poussa un rugissement.

«Malheureuse! Vous vous êtes trompée de corbeille! Vous avez cassé tous les œufs frais destinés aux porto-flip! Ce n'est pas avec des oeufs durs que je ferai des cocktails! Jolie besogne!»

Furieux, il partit téléphoner pour se faire livrer d'urgence une nouvelle caisse d'oeufs. Bécassine, rouge de confusion, ne savait plus où se mettre.

A ce moment, Gloria s'approcha du buffet, son petit chien dans les bras.
— Par exemple, dit-elle faussement étonnée, quel gâchis! Qui a fait cela?»

Sans attendre la réponse, elle prit un sandwich et le donna à son loulou. Puis elle s'éloigna d'un air aussi royal que possible.
«Une coupe de champagne, s'il vous plaît!»
C'était un petit vieillard à la mise modeste qui venait de parler.

Comme il avait l'air triste et malheureux, Bécassine s'empressa de lui offrir une assiette de gâteaux.
«Merci beaucoup, dit le vieillard en mordant dans une tarte.
— Bougez pas, je vais vous envelopper le reste », lui souffla Bécassine.
Elle vida l'assiette de pâtisserie dans une serviette en papier...

...et tendit le paquet au vieux monsieur.
«Allez emportez ça, vous le mangerez chez vous, M. Lerat le producteur, est assez riche pour vous l'offrir.

— Je n'en doute pas, répliqua dignement le protégé de Bécassine, d'autant moins que M. Lerat, c'est moi!»
Et il partit, laissant Bécassine très mortifiée.

Son bon cœur lui avait encore joué un vilain tour. Mais comment aurait-elle pu deviner que ce vieillard au costume râpé était M. Lerat, l'opulent producteur, propriétaire de trois immeubles aux Champs-Elysées, d'un yacht et de deux châteaux?

Le maître d'hôtel l'arracha à ses amères réflexions.
«Allons! aidez-moi à déboucher le champagne.»
Il prit une bouteille, puis une seconde, une troisième. Il en avait débouché six pendant que Bécassine s'acharnait toujours sur la même. Elle la tournait et la retournait en tous sens sans résultat.
Enfin, le bouchon partit d'un seul coup et explosa bruyamment. Un cri répondit à la détonation : Gloria Soleil venait d'avoir son éventail crevé par ce projectile inattendu. Affolée, Bécassine s'accroupit derrière la table pour ne pas être vue de son ennemie. A ce moment, M. Gardefer apparut...
...escorté de ses deux chiens.
«Mademoiselle Bécassine!» cria-t-il.
La mort dans l'âme, celle-ci quitta sa retraite. Le concierge était accompagné d'un grand jeune homme efflanqué...
...qui souriait d'un air godiche en tournant son chapeau entre ses doigts.
«Ce monsieur désire être présenté à Mlle Armor, pouvez-vous le conduire?»
Il tombait bien. Sans enthousiasme, Bécassine le pria de la suivre.
En apercevant Loïse, le jeune homme s'élança vers elle d'un pas léger.
«Mademoiselle, je suis un de vos fidèles admirateurs et je dépose mes hommages à vos pieds!»
Il ne croyait pas si bien dire! Butant dans l'inextricable réseau de câbles qui recouvre le sol des studios, il s'étala de tout son long devant Loïse, qui avait peine à garder son sérieux.
Gloria, pendant cette scène, était retournée au buffet et réclamait avec arrogance un autre sandwich pour son loulou.
Bécassine s'empressa de rejoindre son poste pour la servir.
«Comme il aime le zambon, le moumour!» s'attendrissait la vedette en embrassant son animal.
Le concierge était resté dans un angle obscur du décor pour contempler l'agréable spectacle de la réception.
Bécassine, observant les deux chiens sagement couchés auprès de leur maître, songea avec sa gentillesse habituelle qu'eux aussi seraient probablement amateurs de jambon.
Saisissant un sandwich, elle les appela :
«Tambour! Trompette! venez vite!»

Alléchées, les deux bêtes bondirent vers le buffet à grandes foulées. Cela ne fit pas l'affaire du loulou de Gloria qui, aussi hargneux que sa maîtresse, s'échappa de ses bras pour aller provoquer ses congénères.
Un caniche noir tenu en laisse par un invité s'échappa à son tour et ce fut alors...
...une indescriptible mêlée. Les quatre chiens déchaînés renversaient tout sur leur passage en se poursuivant à travers le décor. Le concierge hurlait vainement : «Ici, Tambour! Ici, Trompette!» Le godiche faisait d'inutiles tentatives pour rétablir l'ordre.
Un livreur à la mine hilare apparut soudain, portant une caisse sur la tête.
« V'la les œufs! » annonça-t-il en se dirigeant vers le buffet.
Hélas! Le loulou, lui passant à travers les jambes, renversa l'infortuné livreur qui tomba à terre avec sa caisse d'œufs.
«Eh bien, tant pis! ils n'auront pas de porto-flip! » conclut le maître d'hôtel qui ne s'intéressait qu'à ce qui concernait son service. Bécassine, elle, était effondrée. Elle se sentait responsable de ce désastre...
...et attendait les foudres qui n'allaient pas manquer de s'abattre sur sa tête. Justement, un homme à l'allure décidée s'approchait.
«Mademoiselle, dit-il, je tiens à vous remercier. Je suis un journaliste chargé de faire le compte rendu de ce cocktail. Ces réceptions-là se ressemblent toutes...
...et je n'aurais rien écrit de bien intéressant si vous n'aviez pas été là! Grâce à vous, je tiens un papier formidable! Au moins, j'aurai quelque chose à raconter!... Ah! ça oui! Encore merci!»

«Mes chers parents, j'avais arrêté ma dernière lettre un peu brusquement à cause de tous les ennuis qui me tombaient dessus, aussi je ne veux pas trop tarder à vous donner de mes nouvelles. Figurez-vous que, depuis cette lettre, je suis de nouveau mal avec Doudou parce que je lui ai dit...

...que son porte-bonheur portait malheur. Il paraît que je l'ai gravement injuriée en disant ça. Aussi, elle m'a repris sa griffe de vautour et depuis elle ne m'adresse plus la parole. J'espère que cela s'arrangera.

Je passe mes journées au studio avec Loulotte. L'autre jour, il y a eu une grande réception pour le premier tour de manivelle. Le plus drôle, c'est que tout le monde était venu et qu'il n'y avait pas de manivelle. Il paraît que cette expression date du temps où l'appareil de prises de vues marchait à la main.

En tous cas, c'était une belle fête. J'avais cru faire des bêtises en aidant au buffet, mais un journaliste est venu spécialement me complimenter et m'a dit que tout s'était bien passé, grâce à moi. Vous pouvez donc être fiers de votre fille.

Loulotte m'a fait lire l'histoire de «Cœurs Intrépides». Je pense que ça vous intéressera que je vous la raconte. Ça se passe au temps du roi Louis XVI et de sa femme Marie-Antoinette. La reine a une suivante qui a un fiancé qui a un cheval qui perd un fer.

Comme ce fiancé est un jeune homme de grande famille, vous pensez bien qu'il ne va pas rester sur un cheval boiteux! Alors, il mène son cheval se faire referrer et pendant que le maréchal-ferrant travaille...

...il entre à l'auberge du «Mouton Borgne» pour se désaltérer. Comme il n'est pas fier, tout marquis de Corneval qu'il est, il se mêle à la foule des soldats et des gens qui consomment là. Le temps lui semble un peu long et il écoute parler les uns et les autres, histoire de se distraire. Ça n'était pas très passionnant et il commençait à bâiller lorsqu'il remarque un groupe, feutre rabattu sur les yeux...

...qui causait à mi-voix. Comme c'étaient les seuls qu'on n'entendait pas, le marquis à aussitôt voulu savoir ce qu'ils disaient. Ça valait la peine! Justement c'était des conspirateurs en pleine conspiration. «Il faut l'attendre à la barrière de Paris», disait l'un. «Non, dans la forêt de Meudon», disaient les autres.

Le marquis comprit qu'ils parlaient de la reine. Ces hommes voulaient l'attirer dans un guet-apens, le jour où elle devait se rendre à son palais de Versailles. Le sang du marquis ne fit qu'un tour...

...puis il en fait un second en pensant que sa fiancée accompagnera la reine. Alors il se lève et va chercher son cheval qui hennissait de joie d'avoir un fer neuf. «Attention, Brutus, je vais te piquer des deux. Nous ne rentrons pas à l'écurie, nous allons au palais des Tuileries. Vite, fendons l'air!»

Voilà le cheval et le marquis partis tous les deux au grand galop. Arrivé aux Tuileries, le jeune homme demande sa fiancée Delphine, qui descend le rejoindre dans un petit salon. Il entraîne Delphine dans l'embrasure d'une fenêtre, et là, il dit d'un ton ferme qui tremblait un peu d'émotion :

«Chère fiancée, de gros dangers menacent notre reine, il faut la sauver!» Et il raconte tout ce qu'il a entendu dans l'auberge du «Mouton Borgne». Mon Dieu, dit Delphine, il faut absolument y retourner et tâcher d'en savoir davantage! — Ayez confiance, répond le marquis, j'y passerai mes journées, le vin y est exécrable mais qu'importe! Adieu, Delphine, vive le roy!»

Le lendemain, le voilà qui retourne à l'auberge sur le coup de neuf heures du matin. A quatre heures de l'après-midi, il n'avait encore rien remarqué d'intéressant, mais lui, par exemple, on l'avait remarqué! Aussi, quand les conspirateurs ont fini par arriver vers la fin de la journée, on les a aussitôt prévenus qu'il y avait là un individu qui était resté dix heures de suite à la même table, dont il fallait se méfier.

«Bon, dit le chef des conspirateurs, on va voir ça». Et il s'installe avec sa bande à côté du marquis, habillé en homme du peuple. Le chef fait semblant d'être dupe et dit :«Holà,compère! vous n'êtes pas de joyeuse humeur, à ce qu'il me semble...

Si vous voulez, nous allons vous distraire...» Tout ça avec un sourire tordu. Le marquis sent qu'il est découvert et que ça va se gâter, mais il ne recule pas devant le danger, alors qu'il court après depuis le matin! Bravement, il regarde le chef dans les yeux et dit: «Pour me distraire, je m'en vais vous bâtonner sur l'heure, vils marauds...».

Aussitôt, tout le monde se lève et veut tuer le marquis qui se défend seul contre douze avec une bravoure dont on n'a pas idée quand on ne va pas au cinéma. Malgré ça, il se voit cerné par des hommes prêts à tout qui l'aplatissent contre un mur. Les conspirateurs le croient vaincu, mais dans un sursaut, il clame :

«Plutôt mourir que me rendre!» Là-dessus, il ouvre une fenêtre, saute et disparaît dans la nuit. Quand Delphine apprend tout ça, elle félicite son fiancé pour son courage, mais elle ne le félicite pas pour son enquête. Comme c'est une jeune fille qui n'a pas peur, elle décide de mener l'affaire elle-même. Elle se rend au «Mouton Borgne»...

...et se fait engager comme servante. Au bout de huit jours, elle sait ce qu'elle voulait savoir! Donc, c'est qu'elle était plus fine mouche que le marquis de Corneval qui était brillant comme militaire, mais pas malin comme espion. A son tour, elle répète tout à son fiancé et le plan de combat est arrêté.

Le jour du départ de la reine, un messager vient l'avertir que sa suivante ne pourra pas l'accompagner, vu qu'elle a une rage de dents. La reine qui n'aime pas voyager sans Delphine entre dans une grande colère, dit que sa suivante l'a fait exprès, qu'elle aurait pu remettre sa rage au lendemain...

...et un tas de choses injustes comme on en dit quand on n'est pas content. Puis elle finit par se faire une raison et monte dans son carrosse avec une suivante de remplacement. Elle s'enfonce dans son coin et se met à bouder sans se douter des émotions qui l'attendent!

En traversant la forêt de Meudon, voilà que le carrosse s'arrête brusquement. Des hommes masqués surgissent et disent à Marie-Antoinette : «Descendez, Majesté, et n'ayez pas peur. On ne touchera pas à un cheveu de votre perruque!»

La majesté obéit et est enlevée comme un paquet de linge par les hommes qui l'emmènent avec sa suivante dans les taillis de la forêt. Pendant ce temps-là, une dame habillée exactement comme la reine prend sa place dans le carrosse qui repart à toute vitesse.

Mais des hommes masqués l'arrêtent encore, ils veulent faire descendre la fausse reine. Mais, alors là, coup de théâtre! La dame brandit deux pistolets d'arçon en disant : «Arrière, manants, un pas de plus et je vous fais mordre la poussière!»

Elle n'avait pas plus tôt dit ça qu'un grand remous se produit dans les rangs des bandits. Des dragons venaient de les encercler, conduits par le marquis de Corneval qui caracolait tant qu'il pouvait.

Avant d'emmener les prisonniers avec ses soldats, il envoie un baiser à la dame en lui diant : «Delphine, je suis fier de vous!» Car c'était Delphine qui avait à son tour tendu un piège aux conspirateurs avec l'aide de son fiancé!

Le lendemain, Marie-Antoinette qui était arrivée à Versailles sous la garde des policiers qui l'avaient enlevée, apprend toute la combinaison et veut voir immédiatement Delphine et le marquis de Corneval.

Les deux jeunes gens arrivent et la reine leur dit avec bonté et majesté combien leur attachement à sa personne l'a émue. Le marquis se jette à genoux pendant que Delphine essuie une larme.

La reine leur dit : «Nous célébrerons votre mariage la semaine prochaine et je donnerai une grande fête dans les jardins de Trianon. En plus de ça, qu'elle dit au marquis, je vous fais duc.»

La semaine suivante, le mariage a lieu à la chapelle du palais, puis il y a une fête de nuit, avec un grand bal, des lampions et un beau feu d'artifice, puis c'est la fin du film.

Voilà l'histoire. J'espère que vous avez tout bien compris. Je vous mets dans ma lettre une photo qui me représente dans le décor du palais de Versailles à côté des artistes. Il paraît que cette photo paraîtra dans «Ciné-Vedettes». Retenez-le chez la mercière.

Maintenant, je voudrais vous dire que...»

La phrase demeura inachevée; le porte-plume avait glissé des mains de Bécassine qui, épuisée par l'effort d'une telle rédaction, s'était endormie sur sa table, la tête sur un bras replié.

Le lendemain matin, Mme Veillatou eut la surprise de constater qu'un rai de lumière filtrait sous la porte de la chambre de Bécassine. Alertée par ce fait insolite, elle frappa. Un «Entrez» ensommeillé lui répondit et la gouvernante pénétra dans la pièce.

Bécassine se redressa, l'air hébété, la coiffe de travers. «Bonjour, Bécassine! Vous étiez en train d'écrire, à ce que je vois? Mais quelle idée d'allumer les lampes et de laisser les persiennes fermées! Quel gaspillage!» dit Mme Veillatou en se retirant.

Si elle savait que les lampes brûlent depuis hier soir, que dirait-elle! pensa la coupable, avec effroi. Elle se leva et poussa un gémissement : chaque pas, chaque mouvement lui causaient une douleur tellement son corps était ankylosé par l'étrange position dans laquelle elle avait dormi.

Douée d'une robuste santé, Bécassine n'avait pas l'habitude de souffrir. Toujours pleine de ressources, elle trouva rapidement un remède à ses misères.

Elle avait lu dans les journaux que quelques mouvements de culture physique assuraient pour la journée une forme éblouissante. Précisément, elle avait là un de ces journaux.

Elle se mit dans une pittoresque tenue d'entraînement. «Pour commencer, disait la rubrique «Sport et Beauté», faites quelques mouvements respiratoires devant la fenêtre ouverte.»

«Ça c'est facile», se dit Bécassine. Et elle aspira largement l'air frais en accompagnant ses aspirations des gestes indiqués.

Elle se livrait consciencieusement à ce premier exercice, lorsqu'elle aperçut de l'autre côté de la cour une grosse dame en maillot de bain qui gesticulait exactement comme elle.

Simultanément, les deux femmes s'arrêtèrent et s'observèrent puis, croyant que Bécassine l'imitait pour la railler, la grosse dame ferma brutalement sa fenêtre.

Je n'y comprends rien, elle s'est fâchée, juste au moment où je lui faisais un grand sourire, se dit notre naïve amie que les réactions de ses contemporains emplissaient toujours de perplexité.

Chassant ce désagréable incident de son esprit, elle attaqua le second exercice. Le chroniqueur promettait un port de reine à quiconque ferait régulièrement le tour de sa chambre, une pile de livres sur la tête. Bécassine s'empressa d'empiler sur son crâne l'œuvre complète de Victor Hugo.

Cela consituait déjà en soi une appréciable performance. Ce fut la seule qu'elle arriva à réaliser! Lasse de faire trembler le sol sous le poids des volumes (qui atterrissaient également sur ses orteils) elle se résigna à passer à un autre genre d'exercice.

Il s'agissait de faire des mouvements de reptation sous un meuble bas sans s'aider des pieds ni des mains, ce qui permettait d'acquérir «des muscles d'acier et une taille de guêpe». Bécassine se mit à plat ventre et avec précaution engagea, petit à petit, tout son corps sous un petit meuble.

Imprimant à ses hanches un savant mouvement de roulis, elle parvint à avancer et après quelques minutes de cette pénible manœuvre se redressa, un sourrie de triomphe aux lèvres, sourire qui se figea aussitôt...

...car un sinistre bruit de porcelaine brisée venait de se faire entendre. Elle s'était, hélas, relevée prématurément et avait fait basculer le meuble. Un vase, qu'elle n'avait pas pris la précaution de retirer, se brisa.

La porte s'ouvrit brusquement et Loulotte apparut, la mine affolée. «Que se passe-t-il? J'entends depuis un quart d'heure un vacarme épouvantable dans ta chambre...Oh! Qu'as-tu fait de mon vase de Chine?»...

Bécassine fondit en larmes. «J'ai trop de malchance, à la fin! J'ai fait de la gymnastique pour avoir «un port de reine, une taille de guêpe et des muscles d'acier», et le résultat, c'est que je suis plus mal en point qu'avant, que j'ai cassé un beau vase et qu'il faut que j'aille en Chine pour en acheter un autre!»

Les parents de Bécassine voyaient toujours avec joie arriver Mathieu, le facteur. Le brave homme leur apportait des nouvelles de leur fille. Il traînait la jambe en distribuant le courrier et poussait des soupirs acablés. Ces signes de surmenage lui donnaient droit à une halte devant un pichet de cidre.
Le père de Bécassine ajoutait à ce rite une invitation alléchante. «Puisque vous êtes là, disait-il invariablement, nous allons lire la lettre devant vous.» Cela expliquait aisément que tout le village fût au courant des faits et gestes de Bécassine.
Aussi était-il beaucoup question d'elle en ce dimanche de fête à Clocher-les-Bécasses. De petits groupes s'étaient formés et on se passait de main en main le numéro de "Ciné-vedettes" où figurait en première page la photographie de Bécassine.
Endimanché et guilleret, le père Mathieu allait de l'un à l'autre, raconter des anectodes inédites sur l'héroïne du jour. Endimanché également, mais renfrognée comme toujours, Marie Quillouch apparut seule, bien entendu, car son caractère jaloux et malveillant avait depuis longtemps fait le vide autour d'elle. Le père Mathieu l'aborda en lui montrant la couverture de «Ciné-Vedettes». «Dis donc! Elle réussit bien ta cousine! elle habite le palais de Versailles! On la tire en portrait avec de grands artistes.» Marie lui coupa sèchement la parole : «Ce n'est pas moi qui voudrais avoir ma photo sur un journal!
PHOTOGRAPHIES D'ART
Bécassine a toujours cherché à se faire remarquer : c'est la honte de la famille!» Et elle alla de son pas rageur. Hélas, de tous côtés, on l'interpellait en lui tendant cette fameuse revue qui devenait pour elle un cauchemar.
Le père Mathieu, qui la suivait de l'œil, la vit avec étonnement pénétrer dans la boutique du photographe. «Tiens, se dit-il, elle veut faire tirer son vilain museau? Ça ne lui suffit pas de se regarder dans la glace?»

Sans se douter des commentaires dont elle était l'objet, Bécassine employait son après-midi à rédiger son journal. Lisons par-dessus son épaule, suivant notre indiscrète habitude.

Hier, c'est encore une date dont je me souviendrai, rapport aux surprises et aux émotions. La première surprise, c'est que j'ai rencontré M. Proey-Minans en haut d'un l'escalier qui menait nulle part. C'est bien de lui, ça! Il n'a pas changé depuis le temps où j'étais gamine et où il me faisait tant rire avec ses distractions et sa myopie. Ce n'était peut-être pas très charitable, mais Mme de Grand-Air, sa vieille amie, riait aussi, alors!... Hier matin, il voulait aller voir M. Tourniquet à son bureau, mais ayant pris l'escalier du décor au lieu de celui qu'on lui avait indiqué, il s'était trouvé...

...perché sur une plate-forme. Quand je l'ai aperçu là-haut, j'ai grimpé les marches quatre à quatre, deux par deux, toute heureuse de la surprise que j'allais faire à ce bon monsieur, mais le voilà qui m'accueille en disant :

«Ah, enfin, c'est vous monsieur Tourniquet?» Il a fallu qu'il essaie trois paires de lorgnons avant d'arriver à me reconnaître!

«Bécassine, par exemple!» qu'il a fini par crier d'un air joyeux. Et on s'est mis à parler tous les deux à la fois pour se questionner et expliquer ce qu'on faisait là, puis on a finalement pris le parti de parler chacun son tour. C'est plus long, mais on se comprend mieux.

J'ai donc appris que M. Proey-Minans était engagé comme «conseiller artistique» vu que le film se passe sous Louis XVI. C'est lui qui contrôle si les décors, les costumes, les bibelots, cettera, sont bien d'époque.

C'est un homme très instruit dans tout ce qui est historique et les gens de cinéma ne le sont pas toujours! Il m'a raconté qu'un jour...

...dans un film du XVIe siècle, il avait remarqué des poteaux télégraphiques et des gens qui mangeaient avec des fourchettes. Il riait à perdre haleine! J'ai bien ri aussi, à cause des poteaux télégraphiques, car pour le reste je n'aurais jamais cru que les seigneurs et les belles dames de l'ancien temps mangeaient avec leurs doigts.

Bref, on a fait la causette comme ça pendant un quart d'heure mais M. Tourniquet nous a interrompus. Il criait parce que le visiteur qu'on lui avait annoncé n'était pas encore arrivé à son bureau. Alors, entendant qu'on parlait de lui, M. Proey-Minans me quitta.

Moi, avant de retourner auprès de ma Loulotte, j'ai flâné dans le studio : on y montait le grand décor du salon Trianon et il fallait voir les ouvriers de tous les métiers : scier, clouer, poser des fils électriques et dérouler des tapis!

Dans les couloirs des loges, ce n'était pas plus calme. Tout une foule de figurants était arrivée et les figurants ne sont pas des plus silencieux. Ils parlent haut, ils s'interpellent, ils se racontent tous les grands rôles qu'ils jouent habituellement (à ce qu'ils disent), bref, ça fait du bruit.

Quand je suis retournée sur le plateau, M. Proey-Minans regardait tous les détails pour voir si on n'avait pas fait de bêtises rapport à l'époque, mais il a fini par oublier où il était et a demandé à M. Tourniquet combien il voulait vendre un canapé et un fauteuil de tapisserie de Beauvais.

Il se croyait chez l'antiquaire, ce cher homme! Il a rougi aussitôt, car il n'aime pas qu'on s'aperçoive qu'il est dans la lune.

Loulotte s'amusait beaucoup, elle est restée si espiègle, ma petite! De temps en temps, elle me regardait d'un air malicieux comme si elle me cachait quelque chose.

A la fin de la matinée, j'ai eu une grosse émotion en voyant arriver Mme de Grand-Air! alors, là, j'ai oublié respect et convenances et je lui ai sauté au cou. «Allons, Bécassine, a-t-elle dit en souriant, vous me décoiffez!»

Mais on voyait qu'elle aussi était émue. C'était la première fois qu'elle venait dans un studio et elle tombait bien, car on allait tourner la grande scène de fête et il y avait beaucoup de choses à voir.

Loulotte lui expliquait tout avec gentillesse. Elle lui présentait les gens qui font le film et qu'on ne voit jamais quand on va au cinéma. M. Proey-Minans écoutait aussi, ou faisait tout comme. Ils ont vu ainsi en plein travail...

...le metteur en scène qui regardait tout entre ses doigts en forme de cadre, le chef opérateur qui a la manie de tout regarder aussi, mais à travers un verre de couleur, les assistants qui sont toujours en train de courir en répétant partout les ordres de M. Tourniquet, le régisseur qui fait la chasse comme un chien de berger pour rassembler les figurants, cettera, cettera. La matinée a passé comme ça très vite.

Mais le plus drôle, c'est quand l'heure du déjeuner est arrivée! M. Proey-Minans voulait s'installer à la table qui était dans le décor, devant les volailles et les fruits en carton! (Tout le monde a bien ri et pourtant, ça ne devait pas être si mauvais que ça puisque c'était...

...du carton «pâte»). Ce pauvre Monsieur a paru surpris qu'on l'emmène dans le restaurant du studio qui ressemble à un réfectoire de pension et où les figurants, les vedettes et les techniciens mangent ensemble. Ça fait même un bizarre coup d'œil tous ces costumes différents...

...Surtout qu'il y avait des artistes qui tournaient sur un autre «plateau», un film se passant au Congo! Un roi nègre voisinait avec une dame de la cour qui avait accroché sa perruque à un clou. Un officier de spahis avait mis des pantoufles pour avoir chaud aux pieds. Mme de Grand-Air trouvait tout ça très amusant et m'a envoyée prévenir qu'elle déjeunait ici.

J'ai dit au téléphone que Mme la Marquise ne rentrerait pas, vu qu'elle déjeunait à la cantine. On m'a fait répéter trois fois et pourtant je criais de plus en plus fort!

Le déjeuner a été très gai. Mme de Grand-Air paraissait trouver tout naturel d'être servie sur une nappe en papier et d'utiliser des couverts en acier. Mais cette peste de Gloria Soleil se plaignait sans arrêt. Elle pensait ainsi avoir l'air d'une grande dame, alors que c'est tout le contraire, et je voyais bien que Loulotte et Mme de Grand-Air étaient de mon avis, car elles échangeaient des sourires amusés.

Enfin, il a fallu retourner au travail. Gloria Soleil devait danser la gavotte. (C'est Marie-Antoinette qui a lancé cette danse dans les salons; avant, c'était une danse de théâtre, a dit M. Proey-Minans.) Elle minaudait, elle faisait des effets d'éventail, bref, il n'y en avait que pour elle.

On répète une fois, deux fois, et on allait tourner pour de bon lorsque M. Proey-Minans sort de son coin et fait signe d'arrêter.

«Cela ne va pas, les pas sont inexacts! Mlle Soleil confond avec la passacaille et le rigaudon!

Tenez! Je vais faire une démonstration avec Bécassine. La gavotte se danse toujours en Bretagne et d'une façon très correcte.»

Et nous voilà partis tous les deux à faire des grâces et des saluts en tournant et en virant. Je me demandais si je rêvais ou si jétais éveillée, mais comme M. Proey-Minans m'a monté sur le pied, j'ai senti que j'étais bien réveillée. Toute l'assistance a applaudi à la fin.

Gloria Soleil s'était enfuie dans sa loge en disant que je n'avais qu'à tourner son rôle puisqu'on me donnait comme modèle! Ça n'avait pas de bon sens, je ne suis pas trop mauvaise danseuse, mais je ne me vois pas en Marie-Antoinette.

Pendant que Gloria se faisait supplier par l'état-major du film pour reprendre le travail, tout le monde attentait patiemment. Le pompier en profitait pour faire un petit tour dans le décor, lorsque voilà M. Proey-Minans qui arrive pour le faire sortir.

«Pas de pompier à la cour de Louis XVI, qu'il dit d'un air pas content du tout, encore un anachronisme!»

Rudement vexé d'avoir été traité de nanacronisme, le pompier est parti sans répondre. Enfin, Gloria étant revenue, le travail reprend, mais voilà que j'entends crier tout d'un coup :

«Louis XVI? Où est Louis XVI?» On cherchait partout l'acteur qui jouait le rôle du roi, mais il avait disparu. Pour aider le monde, je me mets à chercher aussi, et qu'est-ce que je vois derrière le décor?

Une vingtaine de figurants en costume de cour qui faisaient cercle autour de Louis XVI grimpé sur une chaise. Je m'approche et j'écoute avec les autres. Je l'entends qui disait:

«... Et c'est pour ça les copains qu'y faut pas se laisser faire! Y a pas de raison qu'on soye payés pareil après six heures! Tous avec moi pour réclamer les heures supplémentaires des figurants au tarif double!»

J'ai été choquée par ces paroles. Je trouve que c'était déplacé de discuter de cette façon-là. Ça ne ressemblait pas au roi Louis XVI qui était si bon et toujours content, comme disait ma maîtresse d'école.

M. Lerat, qui arrivait à ce moment-là, était certainement de mon avis, car en entendant ça, il a disparu précipitamment et on est venu me chercher. «Mademoiselle Bécassine, M. Tourniquet vient de crever son fauteuil. Voulez-vous y faire un point?»

Naturellement, j'y vais. Il faut dire que c'est moi qu'on appelle le plus souvent au studio. On sait que j'aime bien rendre service et que je ne me fais jamais prier pour donner un coup de main.

Le fauteuil que j'avais à réparer était dans un triste état : M. Tourniquet était passé à travers en se laissant tomber dessus trop brusquement. C'est qu'il est un peu nerveux, cet homme, et pendant le travail, il n'arrête pas de gesticuler. Bref, il fallait que je recouse la sangle qui s'était cassée en deux.

J'étais occupée à ce travail quand M. Lerat arrive à grandes enjambées, furieux et criant : «Je ne veux plus de ce Louis XVI! vous en convoquerez un autre! Et puis, arrangez-vous pour ne pas faire d'heures supplémentaires, cette production me coûte déjà assez cher!» Le metteur en scène et le régisseur ont tout promis et sa figure qui était verte a repris sa teinte jaune.

M. Proey-Minans, toujours gentil, était venu faire la conversation avec moi pendant ce temps, mais il n'en a pas été récompensé. «Il est en corde, ce fauteuil?» qu'il me demande.

Aussitôt, grande clameur. On entoure M. Proey-Minans en lui réclamant une «tournée générale»! Le mot corde ne doit jamais être prononcé au studio ni dans les coulisses de théâtre, sans quoi, il faut offrir à boire à tout le monde. Il ignorait ça, ce pauvre monsieur, bien entendu, et il était tout ahuri. Cette histoire-là avait rendu bon moral à M. Lerat...

...qui était tout content à la pensée de prendre quelque chose aux frais de quelqu'un d'autre. En général, on offre du vin, mais M. Lerat était plus difficile. "Qu'on apporte du champagne!" qu'il criait. M. Proey-Minans, qui est la générositié même, n'a pas protesté et nous avons tous trinqué joyeusement.

Mis de bonne humeur, M. Lerat s'est assis sur le fauteuil pour voir si ma réparation était solide. Mais voilà que tout le monde se met à crier de nouveau. Quand on s'assied sur le fauteuil du metteur en scène, il faut également offrir à boire!

Aussi, il en faisait une tête, M. Lerat! Il avait retrouvé sa couleur verte du début. D'autant plus qu'il était bien obligé de commander du champagne, puisque c'était ce qu'il avait fait offrir par M. Proey-Minans.
Mme Veillatou, qui était venue nous rejoindre...

...a profité de l'aubaine et on était tous bien gais pour terminer la journée. Moi, j'avais envie de chanter, mais je me suis retenue, parce que ma voix ne s'est pas améliorée depuis mon enfance et que je fais toujours peur au monde quand j'entonne une romance.

Aussi, quand Loulotte m'a envoyée chercher un paquet de photos dans la voiture, j'ai été contente de me rattraper sur la danse avec Tambour et Trompette.
Mais, je ne serais pas Bécassine...

...si tout avait bien marché jusqu'au bout. Voilà qu'en sortant du studio, le soir, Loulotte s'écrie:
«Mais , où donc est la voiture?
— Elle est là», dis-je en la montrant, tout près, dans le noir.

On s'approche et Mme Veillatou retire un petit papier qui était glissé sous l'essuie-glace.
«Tiens, comment se fait-il que les phares de la voiture soient éteints?
— C'est moi qui les ai éteints! que je réponds. Quand j'ai vu cette lumière qui brûlait pour rien...

...dans cette rue où il n'y avait personne, j'ai pensé que c'étaient des dépenses inutiles de courant.»
Mme Veillatou a haussé les épaules, puis elle a rétabli la lumière et a pu lire le papier. Alors...

...là, furieuse, elle a crié : «Par exemple! Une convocation pour le commissariat de police. Naturellement on va nous dresser une contravention pour avoir laissé la voiture sans lumière!»

Heureusement que ma Loulotte est bonne et qu'elle comprend les choses! Quant à Mme de Grand-Air, elle a posé gentiment sa main sur mon bras en disant d'un air ému :
«Bécassine, vous n'avez pas changé!»
Ce qui m'a fait bien plaisir

«Bécassine, je ne t'emmène pas au studio en voiture, annonça un matin Loïse Armor : j'ai une course urgente à faire. Tu me rejoindras par le métro. Mme Veillatou t'accompagnera.» Celle-ci acquiesça poliment, mais sans enthousiasme.

Dix minutes plus tard, les deux femmes marchaient vers la plus proche station. Malgré un temps superbe, Bécassine emportait, comme toujours, son grand parapluie rouge. En descendant l'escalier qui conduisait au quai...

...elles entendirent le grondement sourd d'une rame qui arrivait.
«Venez vite! » cria Mme Veillatou, en retenant. le portillon automatique.

La gouvernante, au pas de course, monta dans un wagon. Bécassine, brandissant son parapluie, fit signe au chef de train de retarder. le départ.

Le manche du parapluie se trouva coincé entre les deux battants de la porte! Bécassine le tira violemment et un beau dôme rouge s'épanouit hors du wagon.

Affolée, elle tira plus fort encore et cette fois le parapluie tout entier vint à elle, mais complètement retourné! Et comme un malheur n'arrive jamais seul, ce nouvel effort lui valut une chute très remarquée.

Cette scène avait déclenché l'hilarité des voyageurs et Mme Veillatou était au supplice. Bécassine, bien embarrassée de son parapluie inutilisable, décida de s'en défaire et l'accrocha à un porte-bagages.

Très mécontente, Mme Veillatou le décrocha et le jeta sous une banquette, puis se plongea dans l'examen des nombreuses lettres que le concierge lui avait remises. Elle en tendit une à sa compagne.

Bécassine poussa un cri de surprise. La lettre était de sa cousine Marie Quillouch, qui n'avait pas l'habitude de lui écrire. «Pourvu qu'il ne soit rien arrivé à l'oncle Corentin», pensa la bonne Bécassine.

Fébrilement, elle décachetait l'enveloppe. Une photographie s'en échappa, représentant Marie à bord d'un avion, son chapeau à plumes sur la tête. Très intriguée, Bécassine déplia la missive qui l'accompagnait et en commença la lecture à haute voix, malgré les signes désespérés de Mme Veillatou.
Cher cousine
Je met la main à mon
stilo en or pour te dire
ue je suis bien contante
our toi que ton emploi de
fame de menage te plé-
Moi je fait de l'Avi-
ation vu qu'on m'a
offer une place d'
autesse de l'Air.
Je t'envoit ma foto
en avidtrisse sur l'Avion
que je m' entrêne.
Je t'embrase
ta cousine affectionée
Marie
«Marie qui va être hôtesse de l'air! s'écria Bécassine, au comble de l'étonnement. — Faites voir», dit Mme Veillatou.
Elle examina la photo et éclata de rire. «Mais, c'est une photo prise chez un photographe de foire! D'ailleurs, regardez la carlingue, elle fait des plis!»
Bécassine se rendit à l'évidence, mais en parut affligée.
«Qu'est-ce que j'ai fait au Bon Dieu pour avoir des gens plus bêtes que moi dans ma famille!» gémit-elle.
Elle fut distraite de ses pensées par un groupe caquetant de jeunes écolières qui venaient de faire irruption dans le wagon. La contemplation de tous ces frais minois faisait sourire d'aise Bécassine, dont la passion pour les enfants est bien connue. Tout à coup, elle sursauta en entendant prononcer son nom : «Bécassine! Regardez! C'est Bécassine!» s'exclamait l'une des fillettes.
En une seconde, notre amie, entourée, dut serrer les mains et répondre à ses jeunes admiratrices. L'une d'elles sortit, de son cartable, un numéro de «La semaine de Suzette» pour le faire dédicacer.
Son exemple fut suivi par ses camarades. Gravement, ainsi qu'elle l'avait vu faire à Loïse Armor, Bécassine se mit à inscrire en première page du journal les formules qui lui étaient devenues familières : «Amicalement», «En toute sympathie», etc...
Sa mémoire suppléant son manque d'instruction, elle s'en tira sans faire de fautes d'orthographe! Ce fut en triomphatrice qu'elle quitta le wagon avec Mme Veillatou, qui, fait sans précédent, paraissait très flattée d'être en compagnie de Bécassine.

Un lieu intriguait Bécassine : la pièce qu'occupait Barbouilloff, le maquilleur, et elle aurait bien voulu y jeter un coup d'oeil. Or, justement, ce matin-là, la porte était ouverte.

Pour comble de bonheur, le maître de céans était absent. Il était tentant de faire un pas en avant pour en voir davantage. C'est ce que fit Bécassine, qui manqua s'évanouir en voyant se dresser devant elle, de toute sa taille, Barbouilloff en personne.

«Je suis très honoré de votre visite, mademoiselle! dit-il en s'inclinant cérémonieusement.

— Moi aussi, répondit Bécassine sans savoir ce qu'elle disait... Je... Je... ne vous avais pas vu!

— C'est que j'étais à quatre pattes pour chercher quelque chose. J'avais perdu le nez.

— Quoi? fit Bécassine effarée.

— Oui, le nez du chef des conspirateurs.

— Il a perdu son nez! Le pauvre homme!

— Non, mais le sien n'est pas assez vilain pour un nez de conspirateur, alors on en a commandé un au grand Barbouilloff.»

Bécassine s'approcha d'une étagère où étaient alignés pots et flacons contenant d'étranges mixtures.

«A quoi que ça sert, ces pâtes de toutes les couleurs? demanda-t-elle.

— Ah! voilà! Asseyez-vous et vous allez voir...»

Docile, Bécassine prit place dans le fauteuil que Barbouilloff lui désignait et abandonna son visage aux mains du maquilleur.

Celui-ci s'affairait, maniait avec dextérité ses accessoires et ses ingrédients et en peu de temps la patiente prit successivement l'aspect...

...d'une poupée, d'une japonaise, d'une bergère et d'une marquise. Elle riait comme une petite folle de se voir dans la glace ainsi métamorphosée.

«Attendez, annonça Barbouilloff, ravi de son succès...

... vous n'avez encore rien vu!»

Et un pinceau enduit de colle à la main , il adapta au visage de Bécassine une superbe barbe et une paire de moustaches conquérantes.

«Merveilleux! s'exclama le maquilleur en collant des sourcils broussailleux pour compléter l'ensemble, maintenant vous voilà devenue un monsieur, un terrible monsieur!»

Il riait aux éclats et Bécassine essayait d'en faire autant, mais son ornementation pileuse lui tiraillait douloureusement la peau.

«On demande M. Barbouilloff sur le plateau, appela le régisseur.

— Ah! excusez-moi, je reviens dans un instant.»

Patiemment, Bécassine attendit. Un quart d'heure, une demi-heure, une heure. Au bout de ce temps, elle jugea prudent d'aller voir ce que devenait le maquilleur.

Elle fit irruption dans le décor où on répétait pour la sixième fois une scène dramatique particulièrement difficile entre le marquis de Corneval et Delphine.

«Je crois que cette fois nous pouvons tourner! venait de dire M. Tourniquet, mais surtout, de l'émotion!»

Un immense éclat de rire lui répondit. Les deux artistes venaient de voir apparaître le monstre qu'était devenue Bécassine et il était vraiment au-dessus de leur force de demeurer impassibles. D'ailleurs, une seconde plus tard, M. Tourniquet lui-même s'esclaffait à son tour.

«Où est M. Barbouilloff? questionna la malheureuse Bécassine qui était la seule à ne pas rire.

— Barbouilloff? Mais il est rentré chez lui il y a un bon moment! lui apprit le régisseur.

— Oh!»

Le cri de détresse de Bécassine avait ému le coiffeur du studio. Il vint à elle aimablement.

«Si vous voulez, je peux vous raser...»

A la perspective de cette nouvelle épreuve, Bécassine préféra s'enfuir, mais Loulotte la rattrapa rapidement et l'emmena dans sa loge.

Quelques instants plus tard, notre héroïne avait repris son aspect normal, mais elle paraissait triste.

«Qu'as-tu? lui demanda Loulotte.

— Je regrette qu'on ne m'ait pas photographiée quand j'avais tous ces poils sur la figure...

...ça aurait fait plaisir à mon père : je lui ressemblais tellement du temps qu'il était au régiment!»

Malgré ses mésaventures, Bécassine participait toujours avec le même enthousiasme à la vie du studio. A force d'observer, notre héroïne finissait même par avoir sa petite expérience, et il lui arrivait de surprendre les techniciens par ses réflexions pleines de bon sens.

Un jour, on tournait une scène qui comportait un long dialogue entre la reine et sa suivante. Le travail avançait lentement car on filmait alternativement les deux personnages. Bécassine s'approcha du metteur en scène et le tira timidement par la manche.

«Dites-moi, monsieur Tourniquet, si vous preniez deux appareils au lieu d'un?

— Pourquoi deux appareils?

— Eh bien! Je vais vous expliquer : le premier pour Mme Soleil, et le deuxième pour Mlle Armor...

...Comme ça, elles ont l'air de parler naturel et quand il y en a une qui ne dit rien, on photographie ce qu'elle pense sur son visage.»

Cela n'était sans doute pas très clairement exprimé, mais M. Tourniquet avait compris. On essaya le procédé, M. Tourniquet fut satisfait.

«Ce n'est pas vous qui auriez trouvé ça!» disait-il à ses assistants penauds, tandis que Bécassine toute fière, rayonnait de joie et que Gloria Soleil haussait les épaules.

«L'autre jour, elle donnait une leçon de danse, aujourd'hui elle fait de la mise en scène! C'est vraiment une bonne à tout faire!»

Et Gloria ne se doutait pas que « la bonne à tout faire» allait donner une nouvelle preuve de ses capacités!

Quelques instants plus tard en effet, M. Tourniquet fit demander Bécassine.

«Vous allez faire vos débuts de vedettte! dit-il, en souriant. Un fabricant de crêpes bretonnes à commandé un film publicitaire. J'ai pensé à vous pour présenter ses produits.»

Bécassine, confondue par tant d'honneur, restait muette.

M. Tourniquet l'entraîna dans un petit décor breton.

— Voila, expliqua-t-il : vous allez déguster une crêpe d'un air gourmand en disant :

«La crêpe Bécassine est la meilleure.

«On peut en manger plus de cent à l'heure.»

Puis vous sourirez. C'est tout! J'espère que ça ira.

— Pour sûr, que ça ira», affirma Bécassine, qui commençait à prendre de l'assurance.

Pendant qu'on réglait les éclairages, elle posa une question qui la préoccupait :

«Dites-moi, monsieur Tourniquet, combien de temps ça va durer, la séance?

— Une heure à peu près.

— Alors, il faut que je mange plus de cent crêpes?

— Mais non! c'est de la publicité, voilà tout.

— Alors, ce n'est pas vrai?

— Mais si!» affirma, vexé le fabricant qui écoutait.

Enfin, la mise au point terminée, on commença à répéter et M. Tourniquet lança son habituel «Partez!» A ce commandement, Bécassine se précipita sur la boîte de crêpes dont elle commença à dévorer goulûment le contenu, tout en disant son texte.

«Mais on ne comprend rien! Vous parlez la bouche pleine!» protesta l'ingénieur du son. Le fabricant ouvrit une autre boîte en bougonnant.

On répéta de nouveau.

«Tenez autrement cette crêpe, ordonnait M. Tourniquet, on croirait que vous fumez un cigare!»

On recommença la scène cinq fois, pour des motifs divers.

A la sixième répétition, Bécassine était complètement écœurée.

Le fabricant lui faisait des yeux terribles.

« On tourne!» cria M. Tourniquet.

Bravement, Bécassine s'imposa une expression gourmande, mais elle se sentait de plus en plus mal à l'aise.

«C'est bon pour moi, dit le metteur en scène.

— C'est bon pour le son, dit l'ingénieur du son.

— Oui, mais c'est mauvais pour l'estomac», enchaîna Bécassine.

Le film était terminé. «Ouf! soupira la «vedette». Et maintenant, je vais vous dire, moi les crêpes, j'ai horreur de ça!»

Elle était bien la seule, d'ailleurs, à ne pas apprécier cette délicieuse friandise du pays breton car, sur le plateau, c'était la ruée pour finir la boîte.

Dans la loge de Loïse Armor, Bécassine cousait. Elle était occupée à réparer l'accroc que deux machinistes maladroits avaient fait à la robe de la vedette.

Tout le monde était sur le plateau, et il régnait un calme absolu dans cette partie des bâtiments. Soudain, Bécassine dressa l'oreille : on marchait dans le couloir, mais avec précaution.

Elle ouvrit la porte et se trouva face à face avec un individu qui parut surpris en la voyant surgir. Il s'approcha d'elle poliment
«Mlle Soleil, s'il vous plaît?
— Elle est sur le plateau.
— Bon, je reviendrai, merci», dit l'inconnu.

Rassurée, Bécassine retourna à son travail, mais bientôt un nouveau bruit l'alerta.
Cette fois, c'était le grincement de la porte de Gloria.
Vaguement inquiète...

...Bécassine se précipita dans le couloir et vit deux hommes sortir de la loge et s'enfuir à toutes jambes. L'un d'eux laissa tomber un objet : c'était un bracelet de pierreries. Bécassine comprit aussitôt ce qui se passait : on venait de voler les bijoux de Gloria Soleil!

Sans hésiter, elle s'élança sur les traces des voleurs. Ceux-ci, affolés, ouvrirent la première porte venue. Mal leur en prit.

Cette porte donnait précisément sur le plateau où Loïse, Gloria et Jean Marel tournaient une scène, entourés d'une nombreuse figuration.
L'entrée des malfaiteurs et de Bécassine fit évidemment sensation.

«Au voleur! Au voleur!» hurlait notre héroïne à pleins poumons.
Abandonnant aussitôt le travail, artistes, machinistes, techniciens se mirent à la poursuite des deux hommes, qui parvenaient à leur échapper avec une habileté vraiment diabolique.

Finalement, ne trouvant pas d'autre issue, les gangsters franchirent la porte par laquelle ils étaient entrés. Devinant leur manoeuvre...
...Bécassine qui connaissait par cœur le dédale des couloirs, se lança sur un autre chemin dans le but de devancer les voleurs. Au passage, elle s'empara d'un écriteau portant une inscription.
SORTIE
Un peu plus loin, à l'endroit où le couloir formait un coude, elle fixa rapidement cet écriteau à une porte, se dissimula et attendit. les bandits arrivaient. Ils ne la virent pas, mais aperçurent devant eux le mot "sortie". Ils se crurent sauvés, ouvrirent la porte et disparurent.
Bécassine bondit hors de sa cachette poussa la targette et se tourna vers les poursuivants qui arrivaient essoufflés. «Où sont-ils?» criaient en chœur les chasseurs d'hommes.
Bécassine désigna la porte : «Là!» dit-elle simplement
On s'empressa d'ouvrir et que vit-on? Les deux gangsters qui, tassés dans un réduit exigu, faisaient bien triste mine au milieu des balais, des brosses et des vieux chiffons!
Tandis qu'on les emmenait, Bécassine était questionnée, félicitée. «C'est tout simple. J'ai mis la pancarte «sortie» là où il n'y avait pas moyen de sortir», dit-elle modestement.
Quand Gloria Soleil eut appris qu'elle n'avait conservé ses bijoux que grâce à Bécassine, elle se précipita vers elle, et les spectateurs, attendris, virent cette scène inoubliable : Bécassine et Gloria échangeant le baiser de la paix.

Qu'elle était triste, notre Bécassine! La veille, on avait donné le dernier tour de manivelle de «Coeurs Intrépides» et ce film faisait à tel point partie de son existance qu'il lui paraissait inconcevable de vivre en dehors de la cour de Louis XVI.

Loulotte apparut, prête à sortir, et éclata de rire en apercecant Bécassine effondrée : «Que tu parais sinistre! Je ne t'emmènerai pas avec moi, tu ferais pleurer l'assemblée!

— M'emmener? Et où?
— Au banquet de la production.
— Oh!»
Dans sa joie, Bécassine se mit à exécuter une danse effrénée qui ressemblait plus à un boogie-woogie qu'à une gavotte.

Le repas avait lieu dans un restaurant des Champs-Elysées. Notre amie était placée entre le régisseur et Barbouilloff. Ce dernier, intarissable, contait des histoires de chasse à l'ours et faisait passer devant les yeux de Bécassine des visions de chevauchées et d'aventures. Quant au régisseur...

...il ne l'entretenait que de la peine qu'il avait à découvrir les figurants exigés par le metteur en scène.
«Je vous assure, quand on me dit : «Amenez-moi demain un dromadaire, un scaphandrier et un nain contrebassiste,« je n'ai pas envie de rire!»
Bécassine comprenait cela, mais elle eut beaucoup de mal à suivre les propos de ses deux cavaliers sans les embrouiller.

De sa place, elle observait M. Proey-Minans, une fois de plus victime de sa myopie. C'est ainsi qu'il absorba deux fois des bouchées à la reine qu'il n'aimait que modérément, et refusa tout net un filet de chevreuil dont il raffolait.

La gaîté était générale et Bécassine, ragaillardie par cette ambiance, avait retrouvé sa bonne humeur.
Au café, Gloria Soleil se leva. Le silence se fit et la voix théâtrale de la vedette prononça ces mots:
«Mademoiselle Bécassine, je suis, grâce à vous, parée de tous mes bijoux. Permettez-moi de vous offrir l'un d'eux en souvenir de votre héroïsme!»

Et elle tendit, rutilant dans son écrin, un clip en or qui affectait la forme d'un soleil.
«Comme c'est beau!»
Bécassine joignit les mains en signe d'extase.
Mais M. Tourniquet, debout à son tour, s'adressait à elle :
«Bécassine, vous avez été la providence du plateau, vous avez fait gagner trois jours de «tournage» à la production, et nous vous devons tous des remerciements. C'est au nom de tous que je vous remets ceci.»
Il fit signe à un garçon qui apporta un paquet devant Bécassine : il contenait une superbe caméra Pathé-Baby.
«Voilà! dit M. Tourniquet. A présent, vous pourrez, vous aussi, faire de la mise en scène.
— C'est ça! et je prendrai Loul... non, Loïse Armor comme vedette!»
Et Bécassine, ravie, alla embrasser M. Tourniquet au milieu des applaudissements.
Quand elle revint à sa place, Barbouilloff l'attendait sous un magnifique parapluie rouge.
«Mademoiselle, j'ai été très terriblement étourdi...
...l'autre jour, et Mme Veillatou m'a conseillé d'acheter ceci pour le pardon»
Bécassine était réellement au comble du bonheur.
«Oh! merci, monsieur Barbouillof! J'avais honte de me montrer dans la rue sans mon parapluie... Maintenant je vais pouvoir mener une vie normale.»
M. Proey-Minans ne comprenait rien à cette scène. Voyant Bécassine sous son parapluie ouvert, il dit à sa voisine :
«Il pleut donc? Je ne m'en étais pas aperçu!...»
Quant à Bécassine, c'est dans un prochain album, si vous le voulez bien, que nous la retrouverons car elle n'est pas au bout de ses aventures.

TABLE DES MATIÈRES

Dépôt légal : n°2479 - janvier 1996
Loi n° 49-956 du 16 juillet 1949 sur les publications destinées à la jeunesse.
Cel album a été achevé d'imprimer sur les presses de CLERC S.A. à Saint-Amand-Montrond

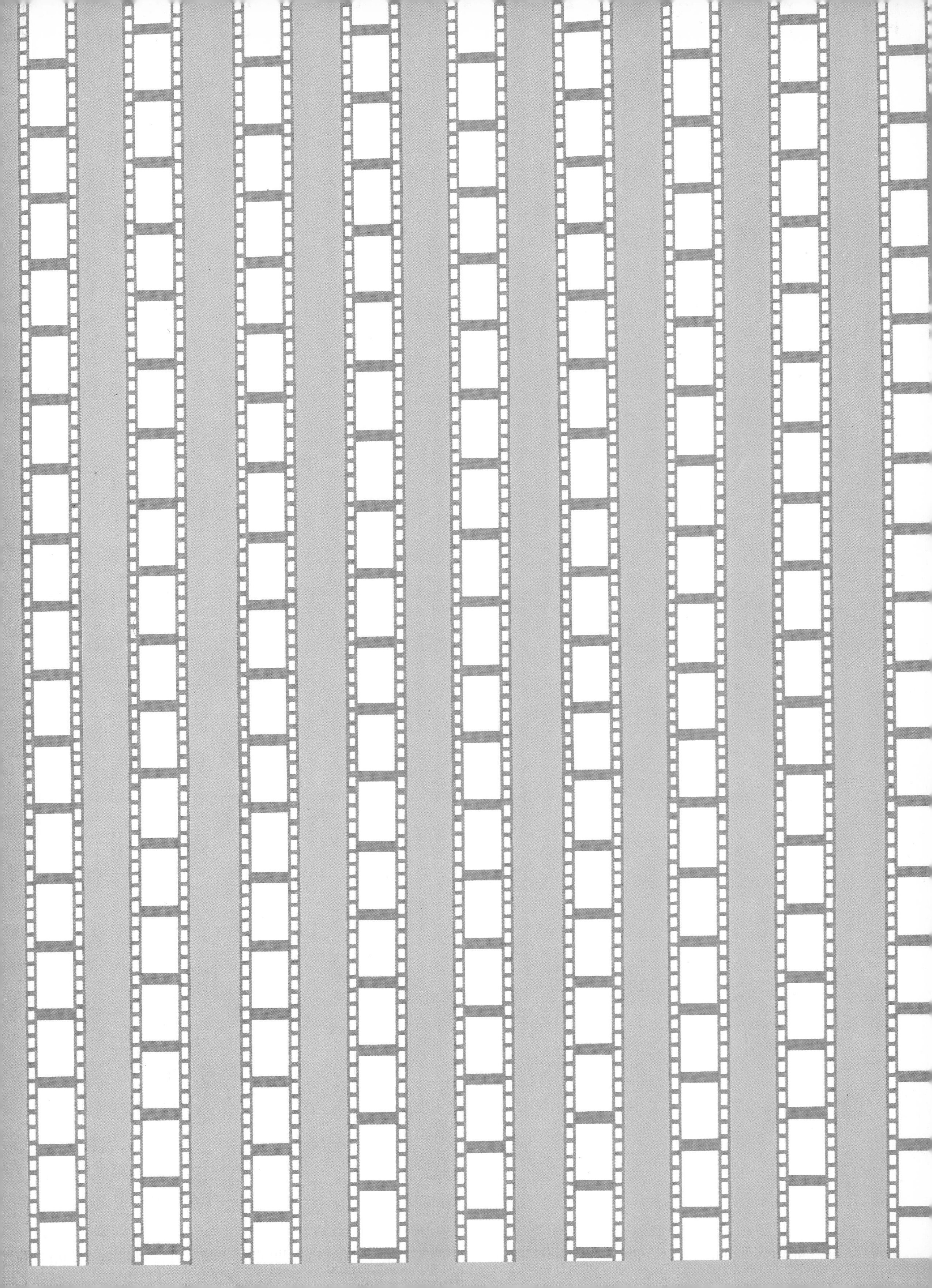